Cuando nace un hermanito
Guía para los hermanos mayores

por
Emily Menendez-Aponte

Ilustraciones de
R. W. Alley

SAN PABLO

Este libro está dedicado a mi hermana pequeña, Sally –mi única hermana–, que pasó su infancia conmigo y fue, con mucho, la luz más brillante de nuestra extraña y maravillosa familia. Le estoy eternamente agradecido por su amor, su apoyo y su generosidad sin límites a la hora de prestar dinero para que la banda comprara instrumentos musicales.

© SAN PABLO 2006 (Protasio Gómez, 11-15. 28027 Madrid)
Tel. (91) 742 51 13 - Fax (91) 742 57 23 - www.sanpablo.es
E-mail: secretaria.edit@sanpablo.es
© Abbey Press - St. Meinrad, Indiana 2005

Título original: *A new baby is coming!*
Traducido por *Gertrudis Criado Rubio*

Distribución: Ediciones Dabar.
El Mirador 42, 04950 D.F., Mexico
Tel.: (55)5594-0143 - (55)5603-3630 - www.dabar.com.mx
E-mail: ventas@dabar.com.mx
ISBN: 978-84-285-2934-1
Printed in Mexico. Impreso en México

Mensaje a los padres, profesores y otros educadores

La llegada de un nuevo bebé a la familia es un acontecimiento maravilloso que todo el mundo espera con gran ilusión. Para un niño pequeño, tener un hermanito puede suponer inseguridad y ansiedad. Los adultos deben saber lo que este hecho supone para un niño y deben ayudarle a que se sienta seguro y querido.

La mayoría de los niños pequeños no tienen una percepción precisa del tiempo. El concepto de ocho o nueve meses es algo abstracto que les resulta difícil entender. Intenta explicarle el tiempo de manera que pueda entenderlo. Por ejemplo, el bebé llegará cuando sea primavera y ya no haga frío, cuando acabe el colegio porque es verano, o cuando llegue Navidad.

Hay que cambiar muchas cosas cuando una familia está preparándolo todo para la llegada de un nuevo bebé. Por tanto, es importante no realizar cambios en la rutina del hermano o hermana mayor que pudieran dejarse para más adelante. Por ejemplo, intenta no cambiar su habitación o comprar una cama nueva justo antes del nacimiento del nuevo bebé. Continuar con la rutina de siempre (incluso con las más simples) le ayudará.

Los niños se sentirán mucho más implicados en la llegada del nuevo bebé si la familia habla del nuevo hermanito o hermanita como "nuestro bebé", mejor que decir "mi bebé". Este cambio de vocabulario, tan sencillo, puede suponer que el niño acepte mejor la llegada del nuevo hermanito. Además, también se les debe explicar que ellos también fueron bebés. Saca fotos suyas del álbum y enséñaselas. Cuéntale los preparativos, ilusión y alegría que supuso su llegada.

El que se tenga un nuevo hijo es, de alguna manera, estresante para toda la familia. Sin embargo, también puede ser una experiencia maravillosa y enriquecedora para un niño. Los adultos deben ayudar a los niños a pasar por este período de transición y enseñarles a disfrutar junto con la familia de tener una hermana o hermano pequeño.

Emily Menendez-Aponte

¡Vamos a tener un bebé!

Vamos a tener un nuevo bebé en la familia. Toda la familia está contenta y feliz. Todo el mundo habla de la llegada del nuevo bebé.

Serás el hermano o hermana mayor y te estarás preguntando qué es lo que eso significa. Quizá estés un poco preocupado por los cambios que pueda haber en casa.

¿Cómo se tiene un bebé?

Los bebés vienen de dos maneras diferentes. A veces crecen en la panza de tu mamá y otras veces nacen de otra mamá en otro país, y tu familia los adopta.

Si el bebé nace en la panza de tu mamá, su panza se hará cada vez más grande porque el bebé está creciendo dentro. Mamá quizá se sienta cansada o mareada pero no debes preocuparte. Es normal que las mamás se sientan así cuando están embarazadas. Mamá está bien.

Podrás sentir cómo se mueve el niño dentro de mamá cuando le pongas la mano sobre la tripa. Aunque el bebé no te puede ver, puede oírte. Dile a mamá que quieres tocarle la tripa o que te gustaría hablarle.

La espera es larga

Hay que esperar mucho tiempo hasta que nazca. El bebé tarda en crecer y en prepararse para poder vivir. Pregúntale a mamá o a papá cuándo viene.

Seguro que tu familia hará cosas para estar preparados ante la llegada del nuevo miembro de la familia. Pintarán y decorarán una habitación de la casa. Comprarán cosas nuevas y usarán otras de cuando tú eras pequeño.

Quizá te moleste que el nuevo hermanito tenga que usar tus cosas. Si te molesta, cuéntaselo a tus padres. Puede que hayan reservado algo para que no lo use nadie más que tú.

Tú también fuiste bebé

¿Sabías que tú también fuiste bebé? Eras pequeñito y tus padres hicieron lo mismo que hacen ahora para prepararse ante tu llegada.

Estaban muy contentos cuando se enteraron de que ibas a nacer. Prepararon una habitación para ti y te compraron cosas nuevas. También hablaron de cómo te iban a llamar. Prepararon lo mismo que ahora están preparando para tu hermanito.

Pregúntales a mamá y a papá cómo eran las cosas cuando tú eras bebé. Sería buena idea también que vierais fotos de entonces.

Cuando nace el bebé

Cuando llegue la hora de que nazca el bebé tus padres irán al hospital, donde habrá un doctor que le ayudará a salir de la panza de mamá. O quizá tus padres tengan que viajar a otro lugar para adoptarlo. De cualquier manera, volverán pronto a casa con él o con ella.

Probablemente te vayas a casa de tus abuelos o alguien vendrá a tu casa mientras que tus padres no están. Quizá eches de menos a mamá y a papá cuando no estén y ellos también te echarán de menos a ti. Hablarás con ellos por teléfono y a lo mejor podrás ir al hospital a verlos.

Quien te cuide esos días hará lo mismo que mamá y papá hacen normalmente y a lo mejor también otras cosas más divertidas.

Hay cosas que cambian y otras que no

Cuando llega un nuevo bebé a la familia, algunas cosas cambian, pero otras no.

En tu casa habrá más actividad y muchas cosas del bebé. Sin embargo, tus cosas también estarán ahí, como siempre. Tendrás tu osito favorito y todos tus juguetes. Irás al colegio y jugarás con tus amigos.

Habla con mamá y papá sobre lo que te preocupe porque pudiera cambiar, o porque va a dejar de ser igual que antes.

¿Qué hará el bebé?

Los bebés casi no hacen nada al principio. Normalmente duermen mucho, comen mucho y lloran mucho. Apenas saben hacer nada. Tus padres pasarán mucho tiempo cuidándolo.

A veces no es nada divertido tener un hermanito tan pequeño que no puede jugar contigo porque se pasa gran parte del tiempo durmiendo. Sin embargo, el bebé crecerá rápido y aprenderá a hacer otras cosas más divertidas que sólo dormir, comer y llorar.

Papá y mamá están ocupados

Como los bebés no pueden hacer las cosas solos y tú sí, puede parecer que tus padres están siempre dedicándole su tiempo a él. Puede ser duro oír a mamá decirte: "Tienes que esperar un minuto".

Los bebés acaparan mucho tiempo, pero mamá y papá también te dedicarán a ti parte de su tiempo. Si sientes que te dejan a un lado, pídeles que te lean un cuento o que jueguen contigo a algo. Sólo debes recordar que tienes que tener paciencia.

¿Me quiere mamá?

Cuando llegue el nuevo bebé a la familia quizá te preguntes si mamá y papá te quieren. O que si lo quieren a él más que a ti.

Mamá y papá te querrán igual o más que antes de que llegara el nuevo bebé. Te quieren mucho y siempre te querrán pase lo que pase.

Puede ser duro al principio compartir a tus padres con el nuevo hermanito o hermanita. Sin embargo, tus padres los querrán a los dos por igual. No querrán a uno más que al otro. ¡Los nuevos hermanitos hacen que los padres tengan todavía más amor!

Quejas y enfados

Puede que te quejes más de lo normal e incluso llegues a enojarte con el nuevo bebé. No pasa nada. Todo el mundo se queja y se enoja de vez en cuando.

Incluso puedes llegar a decir: "Odio al bebé". Es difícil aceptar tantos cambios y también que mamá y papá le dediquen tanto tiempo al bebé.

Cuando te enojes, díselo a tus padres. A lo mejor es buena idea jugar con uno de tus juguetes favoritos. Uno que sea sólo tuyo. Quizá mamá pueda dedicarte un poco más de tiempo.

Ser un buen ayudante

Cuando te conviertas en hermano o hermana mayor, tendrás que hacer cosas para ayudar a tus padres. Quizá debas ayudar a mamá a sujetar al bebé, o a darle de comer. También puedes ayudar yendo a por un pañal o a por un juguete para el bebé.

También puedes ayudarles enseñándole cosas al bebé, como sonreír, hacer gestos o sonidos graciosos. Recuerda que antes debes pedir permiso a papá o a mamá.

Muchas visitas

Ante la llegada de un hermanito, hay mucha gente que quiere venir a casa a hacer una visita. Los bebés son simpáticos y a todos les gusta verles, observarles y alzarlos.

Los amigos y tus familiares vendrán a casa para ver al bebé.

Las visitas probablemente traerán regalos para él y quizá te traigan algún pequeño obsequio a ti también. Cuando venga alguien a conocerlo, pide permiso para ser tú el que se lo enseñe. Puedes decir: "Hola, abuela, esta es mi hermanita".

El bebé se hará mayor

Pronto el bebé crecerá y dejará de ser un bebé. Aprenderá a hacer cosas por sí mismo al igual que tú las haces. Mamá y papá no tendrán que hacérselo todo. No llorará tanto, y tampoco habrá que alzarlo tan a menudo.

Cuando el bebé crezca, podrán jugar y divertirse juntos. Ya podrá andar, correr e incluso hablarte. Podrás enseñarle muchas cosas nuevas, como jugar a tu juego favorito. Lo pasarán muy bien juntos.

Una nueva familia

Tener un nuevo bebé puede ser muy duro pero también es divertido. Las cosas cambiarán un poco en tu casa y tus padres estarán más ocupados. Sin embargo, no todos los cambios son malos.

Recibirás mucho cariño y pasarás momentos felices con mamá y papá. Te lo pasarás muy bien con tu nuevo hermanito o hermanita.

Sobre todo, la familia vivirá muchos momentos inolvidables juntos.

Emily Menendez-Aponte es licenciada en Psicología y Master en trabajo social. Como trabajadora social ha mediado entre familias e hijos durante 10 años. Ha escrito también el Duendelibro *Cuando papá y mamá se separan*. Actualmente vive en Nueva Jersey con su marido y sus dos hijos y es asesora del New Jersey Early Intervention System.

R. W. Alley es el ilustrador de los populares Minilibros Autoayuda, y es también ilustrador y escritor de otros libros para niños. Vive en Barrington, Rhode Island, con su esposa y sus hijos.